eweeg het losse streepjesvel langzaam over deze bladzijde, het omslag en bladzijde 12, 18, 56, 88, 89, 114, 181, 186 en 188.

De Parel en de Draak

een boek vol qi van China

Liesbet Ruben
Babette van Ogtrop

Tropenmuseum
Junior

KIT Publishers

Inhoud

midden   rijk

= China

mens

veel   karakter

China, Rijk van het Midden

Geen land op de wereld heeft zoveel inwoners als China, 1,3 miljard. In elk land buiten China wonen ook Chinezen. Van elke vijf mensen op de aarde is er één Chinees.
In China worden spullen gemaakt voor de hele wereld. Dikke kans dat je computer, je speelgoed, je spijkerbroek, je sportschoenen en je paraplu in China zijn gemaakt.
Chinese uitvindingen worden al eeuwen door iedereen gebruikt: thee, papier, inkt, de klok, het kompas, vuurwerk, zijde, de paraplu, de kruiwagen, de stijgbeugel, papiergeld en buskruit. Zelfs spaghetti is een Chinese uitvinding.

Houd je van Chinees eten?
Ken je kungfu-films?

Kungfu is een Chinese vechtsport. Het betekent 'iets goed kunnen'.

Heb je naar de Olympische Spelen in Beijing gekeken?

Beijing of Peking, is de hoofdstad van China.

Misschien ga jij later reizen, studeren, werken of wonen in China.
Hoog tijd om een beetje Chinees te worden.

Het Chinees heeft geen alfabet, maar karakters. Een karakter is een teken voor een woord of een lettergreep.
'China' schrijf je met twee karakters.
Het eerste karakter is Zhong [spreek uit: dzjong] en het betekent 'midden'. Het tweede karakter is Guo [spreek uit: goewo] en het betekent 'rijk'. Chinezen noemen hun land 'Rijk van het Midden'.

Je kent nu twee karakters. De Chinese taal heeft ongeveer veertigduizend karakters, maar met tweeduizend karakters kom je een heel eind.
In dit boek leer je 88 karakters kennen.

long

hemel

wolk

regen

bliksem

rivier

De Draak en de Parel

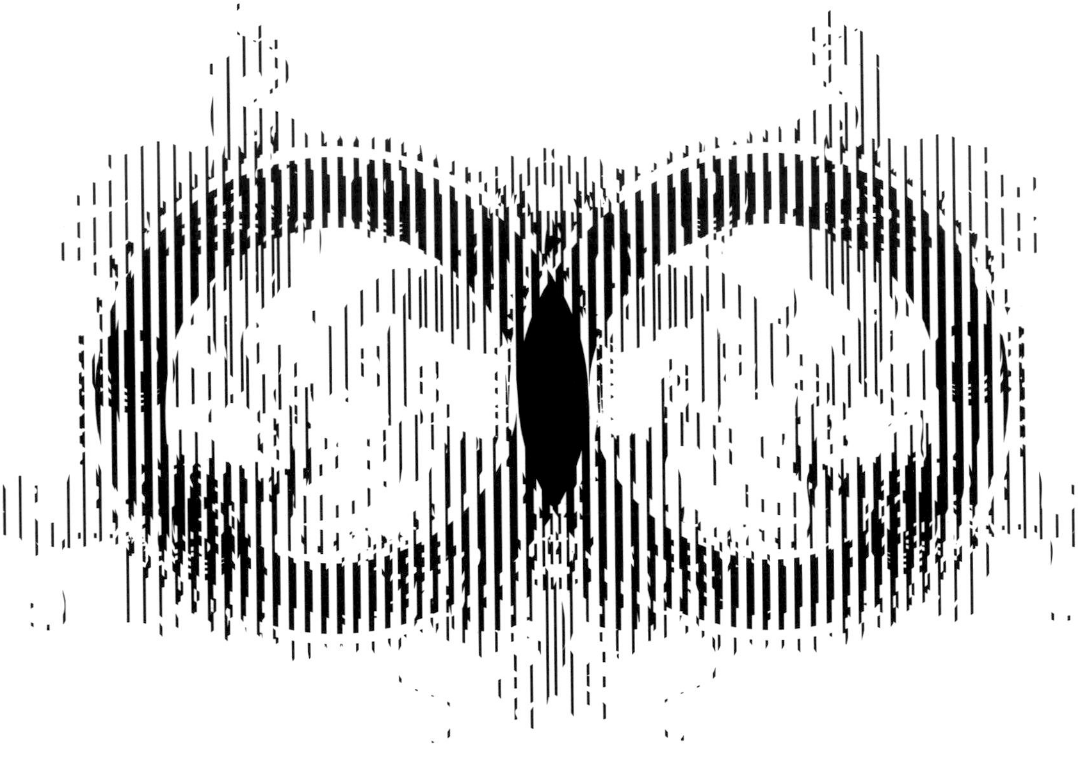

In het Chinese hemelrijk heerst Long,
de Draak. Niemand heeft Long ooit
van dichtbij gezien. Soms verschijnt
hij als een penseelstreep aan de hemel.
Soms schuift hij als een schaduw over
de aarde.
Long heeft het hoofd van een kameel,
de ogen van een haas, het gewei van
een hert, de oren van een os. Zijn lenige
lijf is bedekt met vissenschubben.
Hij heeft de poten van een tijger en
de klauwen van een adelaar. Soms
heeft hij een olifantenslurf, soms een
varkensneus. Long speelt met een parel.

Long is onsterfelijk. Hij is
de keizer van de wolken,
de regen, de donder en
de bliksem. Boven de zee
stijgt hij op in mistige
wolken en af en toe neemt
hij een duik in rivieren,
meren en bronnen. Long
volgt zijn parel in soepele
bewegingen door het
hemelrijk en het aardse rijk.
Zijn parel is ooit ontstaan
uit een oer-nies.
Ha-ha-ha-tsjie.

De drakenadem die bij die
nies vrijkwam, balde zich
samen tot een vlammende
parel. Vanaf dat moment
had de Draak een parel
om mee te spelen.
Door zijn spel met de
parel kwam er beweging
in hemel en aarde. Door
die beweging ontstond
er levenskracht op aarde
met hemelse energie: qi
[spreek uit: tsjie].
Je schrijft het zo: 氣

氣

qi (tsjie)

China
is
een
land
vol
氣

Het karakter 氣 bestaat uit het karakter voor stoom 气 boven het karakter voor rijst 米.

Op de computer en in een sms-berichtje gebruik je in China meestal het simpele karakter 气.

Alles wat leeft en beweegt heeft 氣 [tsjie], levens-kracht. Het is de kracht die door alles en iedereen stroomt. Door mensen en dingen, dieren en gebouwen. Soepele kracht die beweegt als sterren aan de hemel, als stromend water, als bloesem die uit de knop breekt. Elk zaadje en eitje, waar een plant of een dier of een baby uit voortkomt, doet dat met 氣 [tsjie]. Kleine kinderen zitten boordevol 氣 [tsjie]. Ouderen moeten hun 氣 [tsjie] goed onderhouden. Als je dood gaat, blaas je je laatste adem uit en is je 氣 [tsjie] gedoofd.

Zeg vanaf nu tsjie als je 氣 ziet staan. Je weet dat het levenskracht betekent. Je bent al een beetje Chinees aan het worden.

'Laat de 氣 stromen tussen hemel en aarde, movers en shakers', zegt de kungfu-held Jackie Chan [Djekkie Tjen].

'Adem langzaam in en uit. Denk aan een bal en houd die vast. Voel je 氣', zegt de tai-chi-leraar in het park.

Tai-chi is een Chinese vechtkunst met langzame bewegingen.

'Gebruik je 氣 om je te concentreren op je examens', zeggen ouders tegen hun kind.

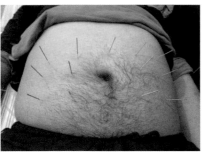

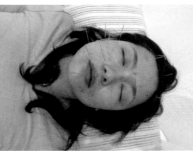

Acupunctuur is een Chinese geneeswijze waarbij naalden in het lichaam worden geprikt.

'Je 氣 is geblokkeerd', zegt de dokter tegen de patiënt en zet **naalden** om de energie door het lichaam te laten stromen.

'氣 drijft op wind en verspreidt zich. Waar de wind het water tegenkomt, blijft de 氣 stromen', zegt de **fengshui**-meester [fung-sjwee].

Feng betekent wind en shui betekent water. Fengshuimeesters geven advies over de bouw en inrichting van huizen, kantoorpanden en wolkenkrabbers. Ze rekenen uit hoe de 氣 beter kan gaan stromen, voor meer geluk.

'Gebruik je 氣 goed bij het zingen', zegt Chao in de karaoke-bar.

Naar een karaoke-bar ga je om samen met vrienden bekende liedjes te zingen. Je ziet op een scherm beelden met daaronder de tekst. De muziek klinkt, maar de stem van de beroemde zanger is weg. Je zingt alsof je zelf de ster bent. Dat is karaoke.

'氣 is de Chinese kracht om te buigen als bamboe en na de storm weer overeind te komen', zegt de oude Chinees die drie oorlogen heeft overleefd.

'Alles is met elkaar verbonden door 氣. Stroom als water tussen stenen. Vind een weg om de steen heen. Dat is de weg', zegt de oude denker.

'Maak het karakter in één ademzucht, 氣', zegt de **kalligraaf**.

Kalligrafie betekent mooi-schrijven. Schrijven doe je met een pen of potlood. Chinese karakters kalligrafeer je met een penseel.

'Leer elke hoek en richel van de stad kennen. Gebruik je vrijheid. Sta nooit stil. Beweeg met 氣', zegt de **parkourrenner**.

In het hoofdstuk De parkourrenners Chao, Wang en Lei op bladzijde 167 zie je de parkourrenners in beweging.

'Ik ken geen vrouw met meer 氣 dan mijn grootmoeder', zegt Bingbo Li.

'De grond bij het Keizerlijk graf zit vol 氣', zegt boer Yang.

'In onze beelden zit de 氣 van het oude China', zegt Lian, het meisje uit de terracottawerkplaats.

'Onze 氣 zit in jullie paraplu's', zegt Qing Qing, het meisje van de paraplu-fabriek.

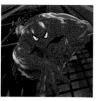

'Met een beetje 氣 slinger ik van gebouw naar gebouw tot aan het Vogelnest, net als Spiderman.'

'In mijn netwerk zit een hoop 氣', zegt de zakenman.

'氣 is wat China voortbeweegt. Bewegen is veranderen. Zonder beweging geen verandering', zegt de oude dokter.

'Wij stellen gebalanceerde maaltijden samen die de 氣 van onze gasten voedt', zegt de manager van het restaurant.

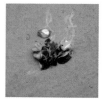

het lot

Boer Yang, een beroemde boer

In 1974 was ik 37 jaar oud. Ik was een gewone boer. We werkten voor de regering, zoals alle boeren in die tijd. Samen met twee andere boeren kregen we de opdracht een waterput te graven. Ik had al meer putten gegraven. We deden er meestal een half jaar over, omdat het water van diep moet komen. Zo'n put moet veertig meter diep zijn. We begonnen met graven.

Op de derde dag stootte mijn schop op iets hards. Ik dacht dat het een kruik was. Als die nog heel is, kan ik hem goed gebruiken, dacht ik nog. Het bleek een schouderstuk met hals te zijn van een **terracotta** soldaat.

Terracotta is gebakken klei.

We vonden nog meer stukken. Ook een hoofd. Ik dacht dat het misschien iets belangrijks was, maar zeker wist ik het niet. We legden de stukken voorzichtig in drie karren en reden daarmee naar de plaatselijke regeringsman.

Die zei: 'Hoeveel geld wil je ervoor?'
Ik vroeg: 'Hoeveel kan ik krijgen?'
Hij antwoordde: '10 yuan [juwen]'.
En hij gaf het geld aan de baas van onze werkeenheid.

10 yuan is ruim 1 euro.

Ik heb er zelf geen yuan voor gekregen. Zo ging dat in die tijd. Je hoorde bij je werkeenheid. Die zorgde voor je huis, de dokter, de kinderopvang, de school, je vrije tijd en je oude dag. Alleen als de oogst goed was, kreeg je aan het einde van het jaar wat geld voor jezelf.

Na mijn vondst in 1974 begint de Chinese regering met de opgraving. Het blijkt het terracotta leger te zijn van de Eerste Keizer van China.

Ik werk nog steeds voor de regering, maar niet meer als boer. Ik werk in het Terracotta Leger Museum. Daar deel ik mijn handtekening uit. Yang Zhi Fa [Jang Dzjie Fa], de ontdekker van het terracotta leger van de Eerste Keizer. Het lot is me goed gezind.

帝 keizer

风 wind

水 water

山 berg

宫 paleis

永 eeuwig

De
Eerste
Keizer

In 246 voor het jaar nul wordt een dertienjarige jongen tot koning van het koninkrijk Qin [Tjien] gekroond. Vijfentwintig jaar later heeft hij alle zeven koninkrijken aan de grote rivieren veroverd en maakt er één rijk van. Hij benoemt zichzelf tot de Eerste Keizer van China, Qin Shi Huangdi [Tjien Sje Hoeangdie].

De Eerste Keizer verkondigt dat hij met hemelse toestemming regeert. Waarzeggers hebben dat gelezen in de sterrenhemel en in de barsten van oude botten. Een keizer met zulke goede relaties in de hemel dwingt respect af bij het volk en bij zijn vijanden. Eerbiedig wordt hij Zoon van de Draak genoemd.

Hij laat wegen en kanalen aanleggen in zijn grote rijk. Voor zichzelf laat hij paleizen bouwen. Twee miljoen boeren worden aan het werk gezet. Wie protesteert, wordt gedood.
Het grootste bouwproject van de Eerste Keizer is zijn graf, een onderaards rijk voor de eeuwigheid.

Hij raadpleegt fengshui-meesters over de bouw van zijn onderaardse rijk. Deze fengshui-meesters vinden een goede plek aan de voet van de machtige berg Li. In de berg Li zit goud en jade.
Dat past bij een keizer.

Kostbare harde groene steen.

In het westen waar de zon ondergaat, liggen de graven van zijn voorouders. In het noorden stroomt een machtige rivier. In het zuiden biedt de berg Li bescherming. Al met al een plek vol goede 氣.
Alleen het oosten is zwak. Daar zijn de wegen naar de overwonnen koninkrijken vol vijanden. Aan die kant moet het onderaards rijk beschermd worden door een groot leger.

Hij geeft opdracht om bij zijn onderaards paleis rivieren van **kwikzilver**
te laten stromen en
een sterrenhemel te
maken met schitterende
edelstenen.

Kwik of kwikzilver
is een vloeibaar
metaal. Het is heel
giftig. Chinezen
dachten vroeger
dat je er onsterfelijk
van kon worden.

Lampen met olie zullen eeuwig blijven
branden. Hij laat een vijver aanleggen
met beelden van zwanen, ganzen en
kraanvogels. Geheime gangen maken
het onmogelijk om de keizer te vinden.
Hij laat soldaten van gebakken klei
op wacht staan met hun kruisbogen.
De strakgespannen bogen moeten
afgaan als er indringers komen. De
pijlen kunnen tot achthonderd meter
hun doel raken. Zo staat het in oude
verslagen beschreven.
Zijn onderaards rijk moet goed
beschermd worden. Hij laat een
compleet leger maken met duizenden
soldaten, generaals, officieren,
honderden paarden, ruiters en
wagenmenners. Allemaal levensgroot
en van gebakken klei.

De Eerste Keizer hoopt dat zijn goede
relatie met de Hemelse Draak hem
onsterfelijk maakt. Maar zeker is hij
er niet van.
Wetenschappers en tovenaars krijgen
opdracht een middel te vinden dat de
keizer onsterfelijk maakt. Ze proberen
kwikpillen en maken tochten naar de
Eilanden van de Onsterfelijken. Ze
hopen daar een **levenselixer** te vinden.

Een drank om
onsterfelijk te
worden.

Tijdens een inspectie-
tocht overlijdt de
Eerste Keizer,
waarschijnlijk aan
een kwikvergiftiging.

Om nog een tijdje
geheim te houden dat
de keizer dood is, wordt
hij verstopt in een kar
onder rotte vissen, zodat
niemand zijn lijklucht
kan ruiken.
Zo keert de Eerste
Keizer terug naar zijn
hoofdstad.
Daar wordt hij begraven
in zijn ondergrondse
paleis voor de eeuwig-
heid.

Boer Yang graaft 2200 jaar later
een put en stuit op een soldaat van
gebakken klei. Deze soldaat hoort bij
het ondergrondse leger van de Eerste
Keizer van China. Hij vindt de eerste
soldaat in brokstukken.

Bijna alle soldaten blijken gebroken.
Stuk voor stuk worden ze gerestaureerd.
Vijftienhonderd beelden zijn nu
opgegraven en staan in het Terracotta
Leger Museum. De andere zesduizend
laat men nog onder de aarde zitten.

De heuvel waar het keizerlijke graf in
zou moeten liggen, is nog helemaal
dicht. Niemand waagt het om het graf
van de machtige Eerste Keizer van
China open te maken.
De 氣 van China mag niet ontsnappen.

soldaat

kleien

Nieuwe soldaten van klei

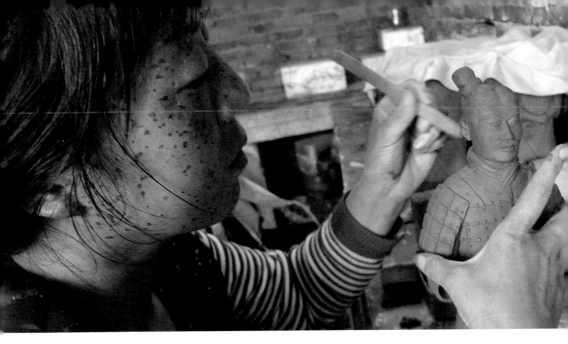

Mijn naam is Lian. Mijn ouders zijn boeren, net als
mijn grootouders. Ze hebben het heel arm gehad.
Daarover willen ze niet praten. We aten vroeger
alleen met Nieuwjaar vlees. En soms kreeg ik dan
een nieuw kledingstuk.
Ze hebben heel zuinig geleefd om mij de kans te geven
om door te leren. Verder dan de middelbare school ben
ik niet gekomen. Als je niet veel geld hebt, moet je de
allerbeste zijn om toegelaten te worden tot een goede
universiteit. Dat haalde ik niet.
Een paar van de allerbeste leerlingen van mijn school
zijn op goede universiteiten terecht gekomen.
De meeste van mijn klasgenoten werken in een fabriek
of in de stad, als hulp in de huishouding, in een winkel
of in een restaurant. Ik kon hier in de terracottawerkplaats aan de slag. Ik werk graag met mijn handen.
Ik woon bij mijn ouders. Ze zijn ziek en oud. Ik zorg
voor hen. Ik ben hun enig kind. Mijn familienaam is
Gong en dat betekent 'paleis'.

We maken de beelden zoals ze vroeger gemaakt
werden aan het hof van de Eerste Keizer.
We gebruiken de klei van de berg Li.

Soms help ik mee met het maken van een levensgroot paard of een generaal of een kruisboogschutter. Ik werk de hoofden af. Eerst werk ik de plaknaden weg. Ik schuur net zo lang aan het voorhoofd, de wangen, de kin en de neus tot het beeld op een echt gezicht gaat lijken. Ik zet zoveel streepjes dat de haarknot echt gekamd haar lijkt.

Mijn collega die het paard schuurt, heeft zijn hele leven met paarden gewerkt. Dat kun je zien. Bij hem lijken de paarden te gaan leven. Ze zijn perfect nagemaakt. Je moet er verstand van hebben om te zien welke paarden uit het keizerlijke graf komen en welke bij ons in de werkplaats zijn gemaakt.

Perfect namaken is onze specialiteit. We verkopen onze beelden vooral aan Chinezen in binnen- en buitenland. De grote beelden staan in bankgebouwen, restaurants, kantoren, bedrijven en vliegvelden. In onze beelden zit de 氣 van het oude China.

Meestal maak ik de kleine soldaten.
Ik ben goed in het fijne werk. Eerst
duw ik de vette klei in de **mallen**.

Een mal is een holle vorm, in dit geval van een soldaatje.
Met een mal kun je veel soldaatjes maken.

Dan zet ik de helften op elkaar. Als ik de
mallen eraf haal, zitten de twee helften
van het soldaatje aan elkaar.

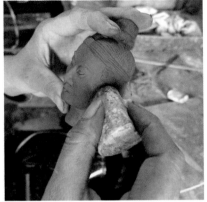

In een piepklein
vormpje stop ik
een propje klei
voor het oortje.
Die duw ik dan
op de goede
plaats.
De generaal
krijgt een
strikje op
zijn mouw.

Dan ga
ik alles
bijwerken.
Alle naadjes
maak ik vlak.
Zo doe ik
het ook met
het hoofd.

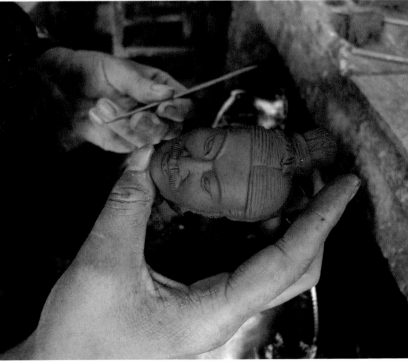

54

Met houten spatels werk
ik het af. Het haar maak
ik met de zijkant van
een schroef.
Als de romp en het hoofd
afgewerkt zijn, zet ik ze
op elkaar en werk ik de
hals af.

Die kleine beelden worden door toeristen gekocht. In de zaken-
wereld doen ze het goed als relatiegeschenk. Deze maak ik nu voor
een internetbedrijf in Beijing, dat tweeduizend kleine generaals
heeft besteld. Ze hebben ook een levensgrote generaal besteld
voor in de hal van hun bedrijf.

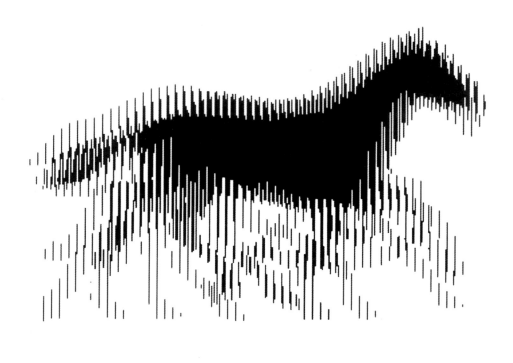

paard

familie

geluk

vader

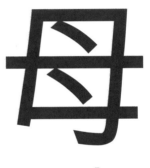

moeder

zoon

liefde

Bingbo Li

Mijn ouders houden zielsveel van mij. Omdat ik een jongen ben en omdat mijn geboorte onze familie rijkdom heeft gebracht.
Ik ben een geluksbrenger, een drakenzoon. Echt waar, mijn moeders familienaam is Long en dat betekent Draak.

Toen ik geboren werd, was de **één-kind-wet** op zijn strengst.

100 miljoen Chinezen hebben geen broertjes en zusjes. Dertig jaar geleden maakte de Chinese regering een wet waarin staat dat echtparen maar één kind op de wereld mogen zetten. Er was niet genoeg voedsel om alle monden te voeden. Veel mensen waren arm en leden honger. Als er toch een tweede kind kwam, kregen de ouders een boete. Later is de wet versoepeld. Op het platteland mogen ouders een tweede kind krijgen als het eerste kind een meisje is.

Mijn vader en moeder hadden al een dochtertje, mijn zus. Ze namen het risico om een tweede kind te krijgen. Dat werd ik, Bingbo Li. Li is de familienaam van vaders kant.

Mijn vader werkte als dokter in een staatsziekenhuis. Het ziekenhuis zorgde voor alles: huis, gezondheidszorg, school en de oude dag. Ze hielden zelfs bij welke werknemer aan de beurt was om een kind te krijgen. Na mijn geboorte werd mijn vader op het matje geroepen bij de directeur. Hij mocht, als straf voor mijn geboorte, niet meer opereren.
Hij moest een spijtbrief schrijven. Hij moest opschrijven dat hij een grote fout had gemaakt door in het overvolle China een tweede kind te krijgen.

计划生育利国利民

南海县计划生育委员会
西樵区计划生育办公室

'Eén kind is goed voor land en volk'

Dat hij spijt had van zijn ongehoorzaamheid tegen de staat die zo goed voor iedereen zorgt. Die brief moest hij elke morgen voorlezen aan zijn collega's. Toen heeft mijn vader ontslag genomen. Thuis lag ik te kraaien in mijn wieg. Ik was het lievelingetje van de familie, ook van mijn grote zus.
Mijn vader zat vol ideeën en begon een eigen ziekenhuis. Hij maakte gebruik van zijn contacten en van de soepeler wordende regels in het opzetten van een eigen zaak.

In zijn ziekenhuis betalen de patiënten zelf de behandeling.
Arme boeren helpt hij gratis. Ze nemen verse groente voor hem mee. Mijn vader is een geliefd mens. Bij hem hoeft niemand lang te wachten en niemand wordt af-gesnauwd. De doktoren zijn ook beter dan in een staatsziekenhuis. Mijn vader werkt alleen met specialisten.

Vaders ziekenhuis is uitgegroeid tot een goedlopend bedrijf waar 33 mensen werken. Elke maandag houdt hij een toespraak voor het personeel. Hij neemt de week door en bespreekt de speciale gevallen.

Mijn zus is ook dokter geworden en werkt in vaders ziekenhuis. Zij woont met haar man en haar zoontje Dan Dan bij mijn ouders op de bovenste verdieping boven het ziekenhuis.

Grootmoeder kan niet goed meer lopen en woont op de begane grond. Ze is nu 84 jaar. Wat zij in haar leven heeft meegemaakt, is met geen pen te beschrijven. Haar levensverhaal gaat over de grote veranderingen in China.

Ik ken geen vrouw met meer 氣 dan mijn grootmoeder. Als baby van een paar maanden oud was ze met haar ouders op de vlucht voor het vijandelijke leger. Haar moeder liet haar achter langs de weg. Ze dacht dat de baby dood was. Een oude dokter vond haar. Hij heeft de baby nieuw leven ingeblazen. Hij deed poeder van gemalen drakenbot op haar lipjes. De baby likte het poeder op en werd gered van de dood. Haar moeder kwam terug om de baby te begraven. Ze vond haar dochtertje levend terug.

Drakenbotten zijn gevonden in het midden van China. Daar leefden in de prehistorie mammoetachtige dieren. Hun botten worden drakenbotten genoemd. Drakenbotten-poeder is een Chinees medicijn.

Ze nam haar baby, mijn grootmoeder, mee en zocht werk bij een boer. Ze waste kleren en werkte op het land. Grootmoeder groeide op en ging naar school. Ze was een goede leerling. In haar klas zat een meisje uit een rijke familie met moderne ideeën. Ideeën waar mijn grootmoeder nog nooit van had gehoord. Ze zei dat vrouwen gelijk zijn aan mannen. Het klonk grootmoeder als muziek in de oren. De klasgenote zei dat boeren belangrijker zijn dan grootgrondbezitters en dat het land onder de boeren moest worden ver-deeld. De rijken waren alleen maar rijk omdat ze de boeren voor zich lieten werken. Ze speelden mahjong in hun mooie huizen, dronken dure thee en gingen winkelen in buiten-landse steden.

Mahjong is een Chinees spel met 144 stenen. Op de stenen staan afbeeldingen van windrichtingen, seizoenen, bloemen, draken, bamboes, wielen en karakters.

Thee wordt al duizenden jaren in China gedronken. In China is thee volksdrank nummer 1. Er zijn ook hele dure theesoorten. Die kunnen alleen de rijken betalen.

De dames liepen met parasolletjes om hun huid licht te houden, terwijl de huid van de boeren donker werd in de zon op het land. De rijken gedroegen zich als keizers.

'Daar moet verandering in komen', zei haar klasgenote. 'We moeten vechten voor een nieuw China. We moeten **Mao Zedong** steunen in zijn strijd om China te veranderen. Mao roept mensen op om door het land te trekken om zijn **communistische** ideeën over China te verspreiden. Doe mee!'

Mao Zedong was de leider van de communisten. Hij kwam op voor de boeren. Hij was tegen keizers en voor het volk. Hij wilde China met grote sprongen veranderen. Hij maakte het ingewikkelde Chinese schrift makkelijker en leerde het volk lezen. Hij bedacht ook plannen die heel slecht uitpakten. Veel mensen hebben geleden in de tijd dat hij aan de macht was. Volgens de Communistische Partij van nu heeft Mao het voor 70 procent goed gedaan en voor 30 procent slecht. Daar denken ze in China verschillend over.

Communisme is een samenlevingsvorm die als ideaal heeft dat iedereen gelijk is en alles van iedereen samen is. Iedereen maakt zoveel hij kan en iedereen neemt zoveel hij nodig heeft.

'Ik steun Mao'

De klasgenote vertrok om soldaat te worden in Mao's **Rode Leger**.

In het Rode Leger dienden de soldaten van de Communistische Partij. Ze werden ook het Volksbevrijdingsleger genoemd.

Grootmoeder wilde mee, maar mocht niet van thuis. Ze was er veel te jong voor, zei haar moeder. Het was te gevaarlijk.
Ik ben er blij om, anders had zij het waarschijnlijk niet overleefd en was ik er niet geweest. De klasgenote en ontelbaar veel andere soldaten van Mao's Rode Leger zijn omgekomen. Grootmoeder heeft hard gestudeerd. Ze werd lerares Chinees. Ze werd de beste lerares van de hele school. Ze trouwde een boer en kreeg vier kinderen. Dat mocht toen nog.

Mijn vader groeide op in een andere heftige tijd in China. Toen mijn vader veertien was, brak de **Culturele Revolutie** uit.

Tijdens de Culturele Revolutie, die zo'n veertig jaar geleden plaatsvond, waren communistische fanatiekelingen de baas. Iedereen werd ingedeeld in vriend of vijand van het volk. Vijanden werden vernederd, verbannen of vermoord. Mensen die gestudeerd hadden, kunstenaars en mensen met eigen ideeën, werden als vijanden gezien.

Er werd niet meer gewoon geleerd. Wie naar school ging, deed dat om met andere leerlingen te praten over Mao's communistische ideeën. Als je tekende, tekende je Mao's hoofd. Als je een opstel maakte, ging het over Mao's ideeën. De liederen die je zong waren communistische liederen. 'De zon is rood. De zon komt op. In China is Mao opgestaan.' Iedereen, jongens en meisjes, droeg dezelfde Mao-pakken.

YI MAO ZE DONG SI XI

'Bestrijd de Oude Wereld en vecht voor een Nieuwe Wereld met Mao's ideeën als wapen'

凡是错误的思想，凡是毒草，凡是牛鬼蛇神，都应该进行批判，决不能让它们自由泛滥。

毛泽东

批判旧世界 建设新世界
PI PAN JIU SHI JIE   JIAN SHE XIN SHI JIE

Overal verschenen posters van Mao met leuzen, zoals 'Bestrijd de Oude Wereld en vecht voor een Nieuwe Wereld met Mao's ideeën als wapen'.
Iedereen leerde Mao's Rode Boekje waar al zijn ideeën in staan, uit het hoofd. Zijn woorden golden als heilige waarheid.
Iedereen moest eelt op de handen krijgen door op het boerenland te werken.

Mijn vader haalde poep op en bracht die in een kruiwagen naar het boerenland. Het was natuurlijke mest.
Vader is niet veel naar school geweest. Hij groeide op in een tijd dat boerenwerk belangrijker werd gevonden dan met je neus in de boeken zitten.

Toen mijn vader negentien jaar was, ging hij in de leer bij een dokter. Vader leerde snel, dat zit in de familie. Als dokter heeft hij mijn moeder ontmoet. Zij was zijn patiënte. Ze kwam elke week voor injecties, omdat ze last had van haar nieren. Mijn vader behandelde haar en ze werden verliefd. Alsof elke injectie hun liefde deed

Het karakter 'dubbelgeluk' krijgt het bruidspaar in dun rood papier.

groeien. Na twee jaar en meer dan honderd prikken trouwden ze. Ze gingen wonen in één kamer en plakten een **dubbelgeluk-teken** aan de muur. Er stonden één tafel, één kast en twee stoelen.

Dat was alles. Voor een fiets hadden ze geen geld. Mijn ouders hebben armoede gekend, maar nu zijn ze rijk. Je weet het maar nooit in het leven.

In mijn familie leven vier generaties
die allemaal een ander China hebben
meegemaakt. Het zoontje van mijn zus,
Dan Dan, de jongste van de familie,
krijgt alle aandacht van twee ouders,
vier grootouders, een overgrootmoeder
en oom Bingbo. Wij verwennen Dan Dan
met z'n allen.

Ik kan goed leren. Ik ben de enige uit
mijn klas die een beurs kreeg voor een
buitenlandse universiteit. Ik studeer nu
in Nederland. Ik spreek Engels. Ik ga om
met studenten van over de hele wereld.
Ik vlieg op en neer tussen Nederland en
China. Ik heb alle vrijheid. Daar konden
mijn ouders vroeger alleen maar van
dromen. Die vrijheid wil ik gebruiken om
iets voor mijn land te betekenen.

Ik zag in Nederland veel oude mensen
met rollators. Ik heb er een voor mijn
grootmoeder meegenomen. Ze is er heel
blij mee. Ze kan nu zelf naar buiten.
Er zijn zoveel oude mensen in China
en er zijn niet zoveel jongeren om voor
hen te zorgen. Dat is het gevolg van de
één-kind-wet.

Ik zie toekomst in producten voor
ouderen in China. Ik heb een zakenplan
bedacht: ik begin met het invoeren van
rollators uit Nederland. Het netwerk
van mijn vader kan ik daar goed voor
gebruiken.

Een reis van duizend mijlen begint met
een enkele stap. Die spreuk heb ik niet
van mezelf. Die heb ik van een oude
wijze Chinees.

paraplu

zelfde   werk

= medewerker

De paraplu-fabriek

Het ergste wat ons kan gebeuren, is dat een hele zending paraplu's wordt afgekeurd.
Ik heb een keer meegemaakt dat er tienduizend paraplu's terugkwamen. We hadden ze in twee weken gemaakt. Er zaten te veel fouten in. Ze moesten allemaal over. Het verlies van de fabriek hebben we met elkaar gedragen. De managers van de afdelingen werden bij de directeur geroepen. Wij moesten toen dag en nacht doorwerken zonder extra betaling. Het komt gelukkig niet vaak voor, want we controleren elkaar.
Iedereen controleert het werk van de vorige. Het openen en sluiten van de paraplu checken we wel tien keer.

Ik klap de paraplu in en uit, knip de losse draadjes af, poets de vlekken weg, zet het rondje en het dopje op de top. Ik klap de paraplu in en leg hem op tafel. Als er iets niet goed is, doe ik de paraplu in een doos die teruggaat naar de medewerker die vóór mij aan de paraplu heeft gewerkt.

De medewerker die na mij komt, vouwt de paraplu en maakt het lipje vast. Als zij nog losse draadjes ziet of als het dopje er niet goed op zit, krijg ik de paraplu terug.

De afdelingsmanager houdt bij hoeveel paraplu's je terugkrijgt. Komt er veel terug, dan krijg je minder uitbetaald.

Voordat ik in deze paraplufabriek werkte, heb ik in een schoenenfabriek gewerkt. Ik kreeg hoofdpijn van de lijmgeur en ik mocht zelfs met Nieuwjaar niet naar huis, naar mijn familie in West-China. Ik heb ze toen twee jaar niet gezien.

Mijn ouders missen me erg, maar kunnen het geld dat ik stuur goed gebruiken. Ze zijn arme boeren. Ik mis ze ook, maar zou niet meer in het dorp willen wonen. Daar is niets te doen. Hier ga ik soms met vriendinnen de stad in, dan eten we **dumplings** en gaan we karaoke zingen.

Dumplings zijn kunstig gevouwen deeglapjes met een vulling van vlees, groenten, vis of een mengsel daarvan.

Ik woon met drie meisjes in een kamer. We werken met elkaar en we wonen met elkaar. We slapen in twee stapelbedden en hebben gordijntjes voor onze bedden hangen. Ik heb douchespullen, een thermoskan voor thee, een teiltje voor mijn wasgoed en een emmer voor het water.

Ik wil graag voorvrouw
worden in deze fabriek.
Dan verdien ik meer.
Daarvoor moet ik alle
stappen van het maken
van een paraplu zelf
hebben gedaan.
Er werken meer dan
twintig paar handen
aan een paraplu. En dan
reken ik de handen die
het mechaniek hebben
gemaakt waarmee
de paraplu open- en
dichtklapt, nog niet
mee. Die worden in een
andere fabriek gemaakt.
Die mechanieken krijgen
wij in grote hoeveelheden
hier binnen.

Ik ken al heel wat stappen in het maken van een paraplu.

Op de stoffen-afdeling heb ik stapeltjes gemaakt van de op maat gesneden stofdelen.

Ik heb de veertjes in de buisjes gestopt.

Ik heb paraplu's ingeklapt en in plastic verpakt en in bundels gebonden.

Ik heb paraplu's gecheckt en gecheckt en gecheckt. Meer dan tienduizend.

Ik heb de sluitingen aan de lipjes gemaakt.

Ik heb het ronde gat aan de bovenkant afgewerkt.

Ik heb de buisjes in elkaar geschoven.

Ik heb de dopjes waar de balein-punten in gaan aan de stof gestikt, acht of tien dopjes per paraplu.

Ik heb de paraplustof gesorteerd voor de stofsnijders.

Ik heb de stoffen delen aan elkaar genaaid.

Ik heb de stof om de paraplu gespannen.

Ik heb de baleinen aan de stof genaaid. Elke balein zit op twee plaatsen vast. Toen ik hier nog niet werkte, had ik er nooit over nagedacht hoeveel handwerk het is om al die steekjes te maken.

Ik heb veel paraplu's ingeklapt.

Ik heb de sluitlipjes aan de paraplustof genaaid.

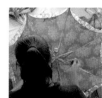

Ik heb kaartjes aan de paraplu's gemaakt.

Ik heb de paraplustof omgezoomd.

Ik heb dopjes vastgelijmd.

Ik heb stickers op handvatten geplakt.

Ik heb nog niet gewerkt in de zeefdrukkerij waar de stof wordt bedrukt. Daar zie ik tegenop, omdat ik hoofdpijn krijg van de verfluchten op die afdeling.

Mijn droom is om op kantoor te werken, net als de vormgevers die aan de computer werken. Maar daar moet je voor hebben gestudeerd. Bij hun deur hangen ingelijste spreuken die de directeur zelf heeft geschreven. 'Nieuwe ontwerpen zijn als de lente voor de productenmarkt.' 'De Draak zorgt voor de regen. Wij zorgen voor de paraplu's.'

Hier in de fabriek hangen ook teksten:
'Drink genoeg licht gezouten water.'
'Poep elke dag.'
'Verspil geen materiaal.'
'Zet je in, wees niet slordig en lui.'
'Neem genoeg rust. Blijf fit.'
'Krijg geen verkoudheid of een
hartaanval.'
'Ga snel naar buiten als je je niet
goed voelt.'

Bij de kantoren is een showroom met
onze nieuwste modellen. Daar komen
inkopers uitzoeken. De meeste paraplu's
worden in China verkocht, zeker de luxe
paraplu's. Inkopers voor het buitenland
willen vooral de goedkope modellen.
Daarvan maakt deze fabriek er tachtig
miljoen per jaar.
Ik heb gehoord dat China één of twee
miljard paraplu's maakt.
Overal in de wereld lopen mensen met
onze paraplu's. Ik zou die mensen willen
leren kennen en me voor willen stellen:
'Nihao, ik ben Qing Qing.   Nihao is Chinees
Ik heb uw paraplu   voor hallo.
gemaakt.'

81

月　　　　日

maan　　　　zon

万物

10.000　　　dingen
= alles

1 2 3 4 5
6 7 8 9
10 duizend dingen

yi (ie) een	er (ar) twee	san (san) drie	si (suh) vier	wu (wohoe) vijf

Twee maakt helften compleet. Het verdubbelt geluk. Bij het een hoort het ander: aarde en hemel, vrouw en man, maan en zon, nacht en dag, zwart en wit, yin en yang, parel en draak.

Vier is een ongeluks-cijfer, want het klinkt als het Chinese woord voor dood. Hotels hebben vaak geen kamer 4. In liften zie je vaak geen verdieping 4, 14, 24, 34, enzovoort. Een ober zorgt ervoor dat er nooit vier gerechten op tafel staan.

Vijf is als de vijf elementen waar alles en iedereen uit bestaat: water, hout, vuur, aarde en metaal. Een goede maaltijd heeft vijf smaken: zoet, zuur, zout, bitter en pikant. Vijf is ook een keizerlijk getal. De Keizerlijke Draak heeft vijf tenen.

Yin kan niet zonder yang. Yang kan niet zonder yin. In yin zit een stip yang. In yang zit een stip yin.

六	七	八	九	十
liu (liejoo) zes	qi (tsjie) zeven	ba (baa) acht	jiu (djoo) negen	shi (sjuh) tien

Zes klinkt als het Chinese woord voor stromen. Met het cijfer zes in zijn telefoonnummer hoopt de zakenman dat het geld binnen stroomt.

Acht klinkt als rijk worden. Het is het lievelingscijfer van de meeste Chinezen. Niet voor niets opende China de Olympische Spelen op de geluksdag 8-8-2008, om 8 seconden en 8 minuten over 8, Chinese tijd.

Negen is het hoogste cijfer en daarom ook een keizerlijk cijfer. De keizer had negen draken op zijn keizerlijk gewaad geborduurd. De Verboden Stad heeft 9999 kamers. De Chinese Draak heeft negen zonen en negen-maal-negen schubben. Tegenwoordig is het getal negen vooral een geluksgetal, omdat het klinkt als voor altijd. Daarom trouwen Chinezen graag in de negende maand. Hun bruiloftsmaal bestaat uit negen gangen.

Tienduizend betekent alles en eeuwig. De Tienduizend Dingen is alles wat bestaat op aarde en in de hemel. Tienduizend is ontelbaar en onsterfelijk.

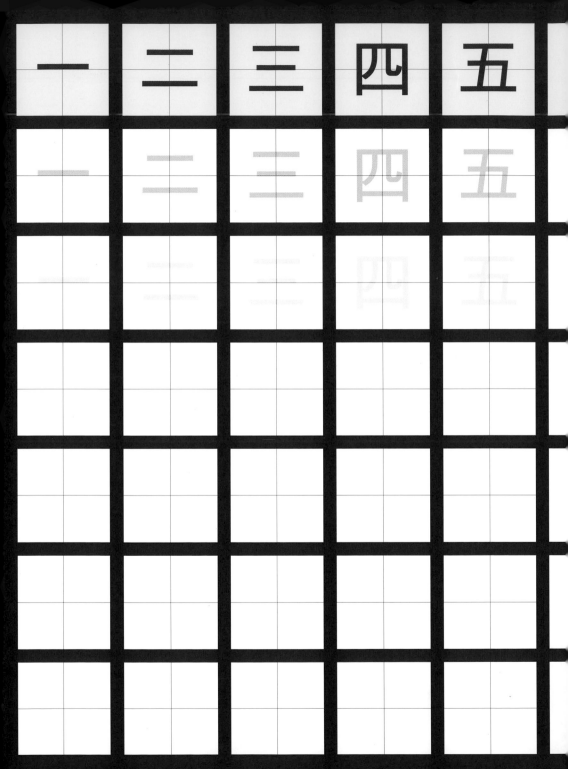

一 二 三 四 五

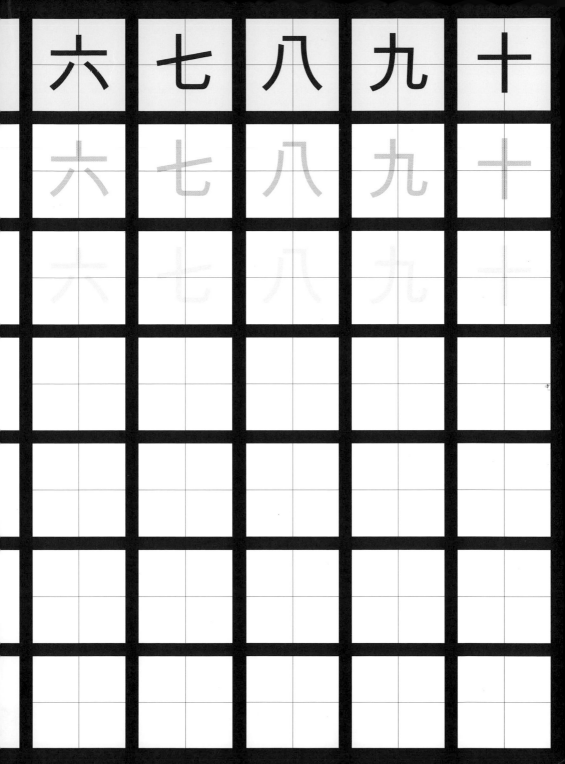

六 七 八 九 十

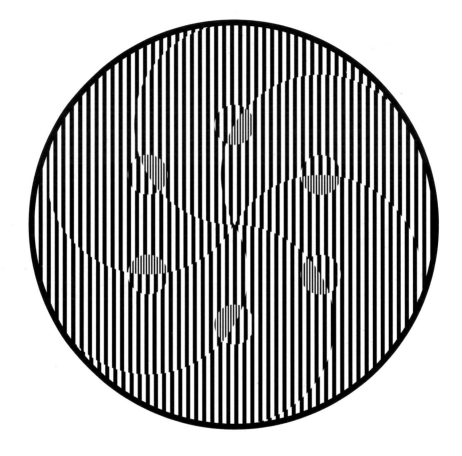

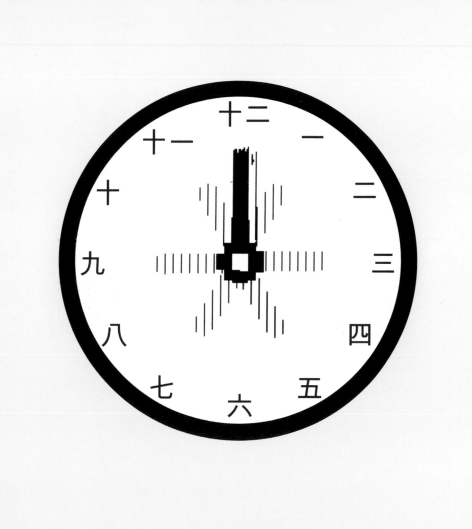

大厦

groot   torenflat
= wolkenkrabber

Spiderman

We bewegen ons als spinnen aan een draad langs de gevels van wolkenkrabbers.
Ik ben een Spiderman.
We maken de ruiten schoon.

Als de wind uit het noorden komt, waait er veel woestijnzand door de stad. Na een dag zit er alweer een laag stof op. Daarbij komt ook nog een laag smog van het verkeer. Deze wolkenkrabber is 31 verdiepingen hoog, de begane grond en de kelderverdiepingen niet meegeteld. Ik heb hem zelf mee helpen bouwen. In de lift staat dat je tot de 36^e verdieping kunt, maar dat komt omdat ze de verdiepingen met ongelukscijfers overslaan. Appartementen op die verdiepingen koopt niemand.

Zes jaar geleden kwam ik in de stad aan. Samen met andere boeren uit mijn provincie. Ik wist dat er veel mensen nodig waren in de bouw. Bij het treinstation waar we aankwamen, bleven we wachten bij onze zak met spullen waarmee we ons dorp hadden verlaten. Ik zag de stedelingen met hun gekamde haren, kleurige schone kleren, nieuwe sportschoenen en hun manier van lopen. Ze keken ons niet aan. Om mij heen zaten boeren als ik, stinkend van de lange treinreis. We werden opgehaald en verdeeld over de bouwprojecten in de stad.

Sindsdien heb ik aan wel vijftig wolkenkrabbers meegewerkt. Ik zag hoeveel oude woningen het teken kregen, dat ze gesloopt gingen worden.
Veel van die huizen waren beter dan de huizen in mijn dorp. Als de bulldozers geweest waren, kwamen wij.
In een paar jaar tijd hebben de boeren van China in Beijing duizenden wolkenkrabbers gebouwd.
Voor de Olympische Spelen in Beijing begonnen, moest alles af zijn. En voor de opening in de achtste maand van 2008 moesten wij, de bouwers en andere boeren, de stad uit. Als boer in de stad heb je geen recht om te blijven of om je familie te laten komen.
Ik ben toen vijf maanden bij mijn familie in het dorp geweest.

Na de Olympische Spelen kwam ik terug en is het me gelukt een Spiderman te worden. Dat dank ik aan een contact uit mijn dorp. Iemand die hier opzichter is. Ik heb hem veel geld betaald.

Ik verdien nu meer dan in de bouw: 75 yuan voor een werkdag van elf uur. Zolang ik gezond blijf, zal er genoeg werk voor me zijn. Beijing staat vol wolkenkrabbers met veel glas.

Ik zie Beijing zoals de Draak de stad ziet: van bovenaf.

Bij helder weer zie ik in de verte het **Drakenspoor** in het midden van Beijing: de Tempel van de Hemel in het zuiden, de Verboden Stad in het centrum en het Vogelnest in het noorden.

Het Drakenspoor is een dertien kilometer lange onzichtbare lijn van zuid- naar noord-Beijing. Vanaf de keizertijd worden belangrijke tempels, poorten, torens en paleizen op deze lijn gebouwd.
De Verboden Stad ligt in het midden.

Vogelnest is de bijnaam van het olympisch stadion. Het Vogelnest ligt aan de noordpunt van het Drakenspoor. Op deze plek stond ooit de Tempel van de Draak.

Dan fantaseer ik, dat ik me van gebouw tot gebouw slinger tot aan het Vogelnest.
Het geld dat ik spaar, stuur ik naar mijn familie in het dorp. Ze hebben er een tv van kunnen kopen en mijn dochtertje kan naar een goede school. Ze zegt dat ze een Spiderwoman wil worden, maar ik hoop dat ze dokter wordt.

De Verboden Stad is de stad midden in Beijing waar de keizers woonden tot de laatste keizer werd weggestuurd in 1924.

De Tempel van de Hemel ligt aan de zuidpunt van het Drakenspoor. In deze tempel brachten keizers offers aan de heersers van het hemelrijk. Ze vroegen om regen en een goede oogst.

jade

nieuw

Draak te koop

Op een loopbrug over de derde ringweg zit een jongen. Voor hem staat een beeld op een plastic zak. Er zit modder op het beeld. Met een prop krantenpapier poetst hij de modder eraf. Hij wrijft maar een beetje, alsof hij het beeld niet echt schoon wil maken.

De meeste mensen lopen voorbij zonder naar hem of het beeld te kijken. Ze hebben haast. Ze zijn op weg naar een van de kantoren aan de overkant. Een man in een wit overhemd blijft bij de jongen staan en vraagt wat hij daar voor zich heeft.

De jongen mompelt een antwoord zonder de man aan te kijken. De man hurkt bij het beeld en bekijkt het van dichtbij. Het is een drakenbeeld van groene jade. De draak steekt zijn klauw naar voren alsof hij iets wil pakken.

'Hoeveel moet die draak kosten?' De jongen mompelt zonder op te kijken: 'Dat weet ik niet. Ik werk hier in de bouw. We vonden het beeld in de grond.'
'Hoeveel moet het opbrengen?' vraagt de man.
De jongen zegt zacht: 'Ik weet niet wat het waard is. Mijn voorman in de bouw zegt dat ik het moet verkopen voor 300 yuan.'
Voorbijgangers stoppen.
De man zegt: 'Die modder heb je er zelf opgesmeerd. Het is geen beeld uit het keizerrijk.'
Een ander zegt: 'Die draak is zonder parel. Hij grijpt in de lucht.'

De jongen staart naar het beeld en zegt niets terug. Iedereen loopt door, de loopbrug over. De trap af.

De man in het witte overhemd bedenkt zich en loopt de trap weer op. Hij zegt tegen zichzelf: 'Wat maakt het uit dat het beeld niet echt oud is? De jade waaruit de Draak gesneden is, komt uit de natuur. Het beeld is mooi gesneden en helemaal gaaf. Een parel heb ik al. Wat is een parel zonder draak? En een draak zonder parel? Ze kunnen niet zonder elkaar, net als yin niet zonder yang kan. Als ik ze samenbreng, zal er beweging komen en zal de 氣 stromen. Hopelijk ook in mijn zaken. Er mag wel wat meer geld binnenstromen.'

'Alles in mijn leven is nieuw. Mijn auto, mijn kantoor, mijn huis, mijn kleren, mijn meubels, mijn vrouw. Nieuw is beter dan oud. En nieuw is goedkoper: voor 150 yuan moet ik het kunnen krijgen. Misschien voor 100 yuan. Het beeld zal mooi staan op mijn kantoor. Mijn klanten kunnen zien dat ik van Chinese kunst houd. Ze zullen zich bij mij op hun gemak voelen, me vertrouwen en zaken met me willen doen. Ik koop het. Waar zit die jongen nou?'

De man kijkt links en rechts. Hij kijkt naar beneden waar het verkeer onder de brug door raast. Er hangt een dikke laag smog.

De jongen en de draak zijn verdwenen. Er ligt nog een beetje modder.

Op een loopbrug over de vierde ringweg zit een jongen met een beeld. Het is een schildpad. Het beeld zit onder de modder.

oorlog

zaken

geld

rijk

Zaken-
doen

Vierhonderd jaar voor het jaar nul is er een boek
geschreven over de kunst van het oorlogvoeren.
Dat heb ik tijdens mijn studie gelezen. In het boek
staat hoe je de vijand uitput en in de war brengt.
En dat je pas aanvalt als je weet dat je kunt winnen.

Toen ik afgestudeerd was, ben ik in de handel gegaan.
Ik paste deze oorlogslisten toe in het zakendoen.
Het heeft me veel geld opgeleverd. Mijn bedrijf heette
'Duizend Schatten'. Ik werd rijker en rijker. Duizend
Schatten werden Tienduizend Schatten. Ik kocht een
Jaguar. Ik had als een van de eersten een iPhone.
Ik droeg Armani-maatpakken en een Rolex-horloge.
Ik had een telefoonnummer en een nummerplaat vol
achten en negens.
Ik kon alle vrouwen krijgen, met de mooiste
trouwde ik. Ik voelde me een machtige Drakenzoon.
Ik was overmoedig.

Ik raakte verslaafd aan geld. Ik kon
alleen nog maar aan geld denken en
over geld praten, ook met mijn vrouw.
Ik wilde meer en meer geld. Ik bezocht
steeds vaker gokpaleizen en raakte
verslaafd aan gokken. Ik vergokte alles:
mijn geld, mijn zaak, mijn huis en mijn
auto. Mijn vrouw liep bij me weg.

In gokpaleizen
speel je om geld.
Je legt geld
in en hoopt er
spelenderwijs
meer geld voor
terug te krijgen.

Ik ben toen naar een tempel gegaan waar een monnik mijn toekomst uitrekende aan de hand van mijn geboortejaar, mijn geboortemaand, mijn geboortedag en mijn geboorte-uur.
Ik ben een Slang.

De monnik vertelde me, dat ik handel dreef alsof ik oorlog voerde. Dat ik meer vijanden dan vrienden maakte. Ik moest werken aan mijn **guanxi** [goewansjie], mijn Chinese netwerk.

Guanxi is een netwerk van mensen die iets voor je kunnen betekenen.

Iedereen die ooit iets voor mij had gedaan, moest ik iets teruggeven.
Ik mocht niemand vergeten.

Hij zei dat ik mijn voorouders en mijn familie verwaarloosde. Hij raadde me aan om naar het graf van mijn ouders te gaan en **begrafenisgeld** voor hen te verbranden.

Begrafenisgeld is nepgeld, dat verbrand wordt voor de doden. Hiermee kunnen de doden in het hiernamaals alles kopen wat ze nodig hebben.

Hij zei dat ik ook mijn kantoor opnieuw moest inrichten. Bureau, stoel en kast moeten op de goede plek staan, zodat de 氣 kan stromen. Een groene draak in het oosten en een parel in het westen is goed voor de zaak.

Ik heb de adviezen van de monnik opgevolgd en het gaat weer uitstekend met me.

Nu neem ik iedereen die iets voor mij kan betekenen mee uit eten. Onderweg bezoeken we de mooie plekken in Beijing op het Drakenspoor. We gaan dan naar de Tempel van de Hemel, de Verboden Stad en het Vogelnest. Overal maken we foto's. Ik heb een Bentley, een nieuwe zaak, een nieuw huis en een nieuwe vrouw. Ik ga nu een halsketting met wilde parels voor haar kopen.

第一小学

nummer   1   klein   leren

= Nummer 1 basisschool

liefde   land

= vaderlandsliefde

Onze basisschool Nummer 1

Op maandagochtend beginnen we met het hijsen van de Chinese vlag. Het rode sjaaltje om onze hals lijkt op een hoekje dat uit de vlag is geknipt. Wij zijn een stukje van ons land. Wij zijn een deel van het geheel. Net als het halsdoekje, dat een deel is van de hele vlag. Het groeten van de vlag gaat zo: rechterhand boven je hoofd, vlakke palm naar beneden en vingers bij elkaar. Bij het hijsen van de vlag leggen we de eed af. De voorzegger begint: 'Ik ben lid van de **Jonge Pioniers.**

Jeugdafdeling van de Communistische Partij.

Ik beloof onder de vlag, dat ik van mijn vaderland houd en dat ik van het volk houd. Ik zal goed leren en zorgen dat ik fit blijf. Ik sta klaar om mijn deel bij te dragen aan het geheel.'

Wij antwoorden dan met zijn allen:'Ik sta klaar.'

De meeste kinderen bij ons op school zijn Jonge Pioniers. Dat is goed voor onze toekomst, zeggen onze ouders. Het gedrag van een Jonge Pionier is eerlijk, moedig en opgewekt. Je zorgt voor anderen. Als oudere leerling zorg je voor een jongere leerling. Zij moeten nog leren wat vaderlandsliefde betekent.

Je kunt op school strepen verdienen voor goed gedrag: één streep, twee of drie strepen. Die speld je op je mouw. Met één streep ben je een kleine leider over een rij kinderen in de klas. Met twee strepen ben je een klassen- vertegenwoordiger. Met drie strepen zit je in het leerlingenbestuur. Dan praat je met de schooldirecteur namens alle kinderen. Ik heb een keer één streep verdiend. Ik voelde me trots.

Elke ochtend doen we met alle leerlingen gymnastiek op het plein, om fit aan de lessen te kunnen beginnen.

Mijn juf weet dat veel leerlingen last van stress hebben en dat onze ogen achteruit gaan van al dat schoolwerk.
Daarom doen we nu niet één, maar twee keer per dag ooggymnastiek in de klas. Ik mag het vandaag voordoen.

We krijgen elke dag rekenen en taal. Met taal leren we karakters lezen, karakters schrijven en **pinyin** [pienjien] schrijven.

Pinyin is de manier om Chinees te schrijven met de letters van het alfabet.

Verder krijgen we biologie, geschiedenis, aardrijkskunde, muziek, tekenen en les in vaderlandsliefde.

We leren de acht gedrags-
regels van onze president
Hu [Hoe]. Ik ben het wel
eens met de regels, maar
vind het saai om ze van
buiten te leren.
Mijn juf zegt dat onze
president de regels heeft
gemaakt omdat hij zich
zorgen maakt over het
gedrag van veel Chinezen
nu ons land rijker wordt.

Ik ken de
regels al
uit mijn
hoofd:

1   Houd van je land en doe het land
    geen kwaad.
2. Houd van het volk en doe het volk
    geen kwaad.
3. Studeer goed, blijf niet dom.
4. Werk hard, wees niet lui.
5. Help anderen, pest niet.
6. Wees eerlijk en betrouwbaar,
    denk niet alleen aan jezelf.
7. Leef volgens de regels, houd je
    aan de wet. Leef niet in chaos en
    overtreed de wet niet.
8. Leef eenvoudig. Weet dat
    moeilijkheden bij het leven horen.
    Zwem niet in rijkdom.

Aan regel vier denk ik wel eens. Ik werk echt hard. Ik sta op om zes uur. De eerste les begint om kwart over zeven en de school gaat uit om half vijf. Ik werk tot 's avonds laat aan mijn huiswerk. Ik heb buiten schooltijd extra Engelse les. Verder zit ik op balletles en kalligrafieles. Ik heb geen tijd om met andere kinderen af te spreken en als ik eens tijd heb, kunnen of mogen mijn vriendinnen niet, omdat die ook hard werken en op muziekles en kungfu zitten. Het is niet dat onze ouders zo veeleisend zijn, maar extra lessen verhogen onze kansen.

Leraren vertellen op ouderavonden, dat diploma's het allerbelangrijkste zijn. Om een goede baan te krijgen, moet je diploma's hebben van een goede kleuterschool, een goede basisschool, een goede middelbare school en een goede universiteit. Schoolcijfers bepalen wat voor baan, huis en auto je later krijgt. Mijn moeder zegt: 'Om succes te hebben moet je bitterheid eten.' Alle ouders hopen dat hun kinderen Draken worden, oftewel succesvolle Chinezen.

oog

Oog-
gymnastiek

眼保健操图解

dumai-meridiaan op je hoofd
头部督脉穴

tempelpunt op je slaap
太阳穴

四白穴
sibai-punt

耳垂眼穴
oogpunt op je oor

dumai-meridiaan op je hoofd
头部督脉穴

风池穴
fengchi-punt

穴位的位置

耳垂眼穴：位于耳垂正中部位。

太阳穴：位于外眼角与眉梢之间向后大约3厘米（陷窝处）的地方。

四白穴：在下眼眶边缘下方的正中。将两手的大拇指支撑在下颌骨凹陷处，双手食指和中指并拢放在鼻子两侧，中指尖按鼻翼，随后放下大拇指与中指。食指指尖所指之处就是四白穴。

风池穴：在颈后枕骨下两条大筋外侧的凹陷处。

头部督脉穴：在头部正中线前发际至后发际的相关穴位。

Houd je ogen gesloten, druk op de goede punten, druk niet te hard en niet te zacht. Druk in een regelmatig ritme. Laat de 氣 stromen.

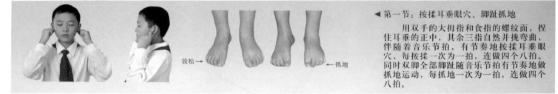

放松→

→抓地

◀ 第一节：按揉耳垂眼穴、脚趾抓地

用双手的大拇指和食指的螺纹面，捏住耳垂的正中，其余三指自然并拢弯曲，伴随着音乐节拍，有节奏地按揉耳垂眼穴，每按揉一次为一拍，连做四个八拍。同时双脚全部脚趾随音乐节拍有节奏地做抓地运动，每抓地一次为一拍，连做四个八拍。

Oefening 1: druk en masseer de oogpunten op je oren en krab de vloer met kromme tenen. Vier keer acht tellen. Eén [ie], twee [ar], drie [san], vier [suh], vijf [wohoe], zes [liejoo], zeven [tsjie], acht [baa].

◀ 第二节：按揉太阳穴、刮上眼眶

用双手大拇指的螺纹面按在太阳穴上，其余四指并拢弯曲，伴随着音乐节拍按揉太阳穴，每按揉一次为一拍，连做四拍。再用双手食指第二节内侧沿眉弓从眉头到眉梢刮上眼眶。刮上眼眶一次为两拍，连做四拍。共做四个八拍。

Oefening 2: druk en masseer de tempelpunten op de slapen naast je ogen en masseer met de knokkel van je wijsvinger de bovenrand van de oogkas, over je wenkbrauw. Vier keer acht tellen: ie, ar, san, suh, wohoe, liejoo, tsjie, baa

眼保健操口诀

全程应闭眼
穴位须认准
力度要适中
速度宜均匀
幅度应适当
关键在坚持

◄ 第三节：按揉四白穴
　　用双手食指螺纹面按在穴位上，其余
四指自然并拢弯曲。伴随着音乐节拍，有
节奏地按揉四白穴，按揉幅度不要太大，
每按揉一次为一拍，连做四个八拍。

Oefening 3: druk en masseer je sibai-punten met beide wijsvingers. Vier keer acht tellen: ie, ar, san, suh, wohoe, liejoo, tsjie, baa

◄ 第四节：按揉风池穴
　　双手食指和中指并拢，用二指的螺纹
面按揉风池穴，其余三指自然并拢弯曲。
伴随着音乐节拍，有节奏地按揉风池穴，
每按揉一次为一拍，连做四个八拍。

Oefening 4: masseer de fengchi-punten in je nek. Vier keer acht tellen: ie, ar, san, suh, wohoe, liejoo, tsjie, baa

◄ 第五节：按头部督脉穴
　　用双手除大拇指以外的其余四指指尖
相抵，自然放松，用相抵四指的指肚部分
沿头部正中线（督脉），随音乐节拍有节
奏地从头的前部发际处按至头的后部发际
处，共四拍。每按一次为一拍，连做四个
八拍。

Oefening 5: druk met de vier vingers van beide handen van het midden van je voorhoofd tot het midden van je achterhoofd over je dumai-meridiaan. Van haarlijn vóór tot haarlijn achter in vier stappen. Vier stappen op één tel. Vier keer acht tellen: ie, ar, san, suh, wohoe, liejoo, tsjie, baa

Een meridiaan is een onzichtbare lijn in het lichaam waar 氣 doorheen stroomt.

kung fu
= iets goed kunnen

Kungfu

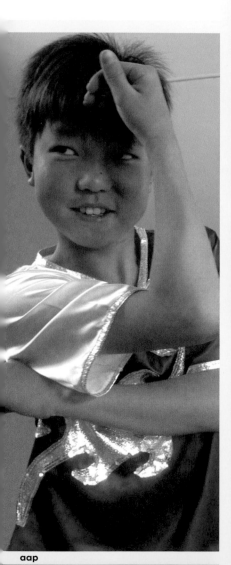

tijger

slang

bidsprinkhaan

adelaar

笔

pen

墨

inkt

纸

papier

Mooi schrijven met penseel

Begin met een
ademhalingsoefening.
Ga staan met je tenen
een beetje ingetrokken
en de voeten op schouder-
breedte uit elkaar. Dit heet
'staan als een boom'.
Til je armen op tot aan
je middel met de hand-
palmen naar elkaar toe.
Houd de ellebogen
ontspannen.
Laat je schouders zakken
en buig door de knieën.
Doe je ogen dicht en
adem diep in.
Adem langzaam uit en
ontspan je buik.
Laat dan de armen
langzaam zakken en
ga rechtop staan.
Herhaal de oefening tot je
je 氣 voelt stromen.

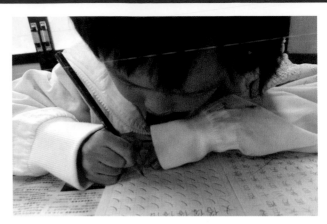

Ga goed zitten. Begin met
een streep in het vierkant
te zetten. Eerst met
potlood, net zo lang tot
je het vanzelf precies op
de goede plek zet.
Kijk naar de voorbeelden
van de oude kalligrafie-
meester en probeer die
na te maken, eerst met
potlood of pen. Door goed
te kijken zie je de energie
in de lijnen.

Leg de vier schatten van de kalligrafie klaar: het penseel, de inkt, het inktbakje en het papier.

Houd het penseel rechtop. Houd het alleen met de vingers vast, niet tegen de handpalm. Zo kun je het penseel met vaste hand soepel bewegen. Het penseel is een verlengstuk van je lichaam. Houd het penseel hoog vast voor grote karakters en laag voor kleine karakters.

Doop de punt van het penseel in de inkt tot de penseelharen zich vol inkt hebben gezogen.

Draai de volle punt van het penseel langs het randje van het bakje, zodat de overtollige inkt eruit loopt en je een mooie punt hebt.

Houd het penseel recht boven het papier en begin met je eerste streep. Druk het penseel aan het begin van de streep een beetje plat en trek het meteen door naar de streep. Til het penseel in één beweging op, zodat er een mooi puntig einde aan de streep komt.

Laat het penseel nooit stilstaan op papier. Laat je penseel dansen. Kalligrafeer een karakter in één ademzucht. Als een penseelstreep aan de hemel. Als de beweging van de draak die de parel volgt.

Kalligrafeer op papier met lijntjes of vouw het papier in vakjes. Blijf binnen de lijntjes en zorg dat je karakter in balans blijft.

Concentreer je, haal rustig adem en denk aan niets. Een mooie kalligrafie komt van binnenuit.

Als je geboren bent in het jaar van de Draak
(5 februari 2000 - 23 januari 2001),
ziet je Chinese karakter er zo uit:

draak

Je
Chinese
karakter
met
potlood

Elk Chinees geboortejaar heeft de naam van een dier.

Teken het karakter van je Chinese geboortejaar met potlood na in de vakjes.

Oefen dit karakter net zo lang tot je het karakter uit je hoofd kunt schrijven. Zorg dat je karakter in balans is.

Je Chinese geboortejaar

van		tot		jaar van
20 februari	1985	8 februari	1986	de Os
9 februari	1986	28 januari	1987	de Tijger
29 januari	1987	16 februari	1988	het Konijn
17 februari	1988	5 februari	1998	de Draak
6 februari	1989	26 januari	1990	de Slang
27 januari	1990	14 februari	1991	het Paard
15 februari	1991	3 februari	1992	het Schaap
4 februari	1992	22 januari	1993	de Aap
23 januari	1993	9 februari	1994	de Haan
10 februari	1994	30 januari	1995	de Hond
31 januari	1995	18 februari	1996	het Varken
19 februari	1996	6 februari	1997	de Rat

van		tot		jaar van
7 februari	1997	27 januari	1998	de Os
28 januari	1998	15 februari	1999	de Tijger
16 februari	1999	4 februari	2000	het Konijn
5 februari	2000	23 januari	2001	de Draak
24 januari	2001	11 februari	2002	de Slang
12 februari	2002	31 januari	2003	het Paard
1 februari	2003	21 januari	2004	het Schaap
22 januari	2004	8 februari	2005	de Aap
9 februari	2005	28 januari	2006	de Haan
29 januari	2006	17 februari	2007	de Hond
18 februari	2007	6 februari	2008	het Varken
7 februari	2008	25 januari	2009	de Rat

Heb je een ander jaar nodig,
zoek dan op www.tropenmuseumjunior.nl

鼠	牛	虎	兔	龙

De Rat is slim en vindingrijk. Ratten zijn krijgers. Een Rat zal altijd zijn doel bereiken.

De Os is goedaardig en een harde werker. Ossen zijn doorzetters. Een Os stelt je niet teleur.

De Tijger is krachtig en rusteloos. Tijgers zijn durfals. Een Tijger houdt drie grote gevaren tegen in huis: vuur, dieven en geesten.

Het Konijn is aardig en rustig. Konijnen zijn kunstzinnig. Een Konijn is bescheiden en beleefd en wil dat anderen dat ook zijn.

De Draak is een en al levenskracht. Draken zijn altijd in beweging. Een Draak is geluksbrenger nummer 1.

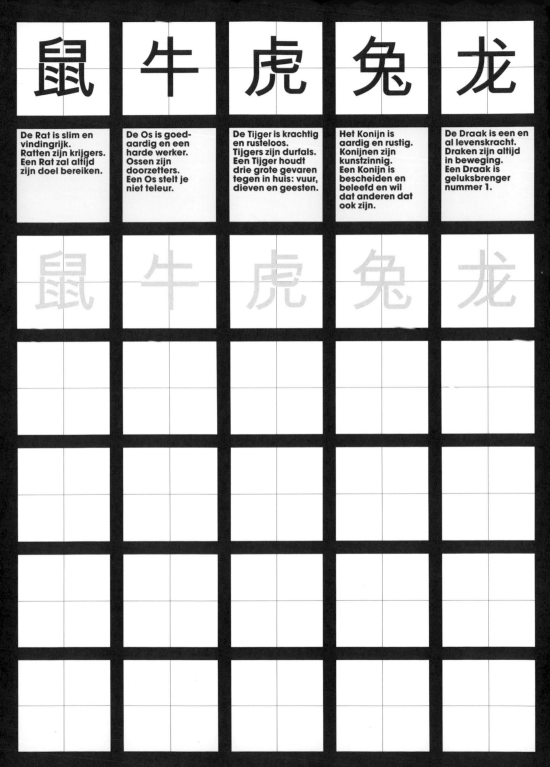

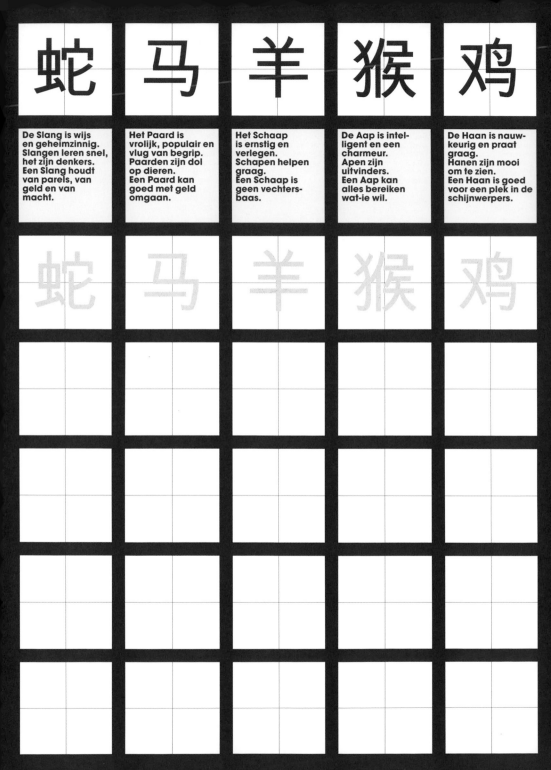

蛇 马 羊 猴 鸡

De Slang is wijs en geheimzinnig. Slangen leren snel, het zijn denkers. Een Slang houdt van parels, van geld en van macht.

Het Paard is vrolijk, populair en vlug van begrip. Paarden zijn dol op dieren. Een Paard kan goed met geld omgaan.

Het Schaap is ernstig en verlegen. Schapen helpen graag. Een Schaap is geen vechtersbaas.

De Aap is intelligent en een charmeur. Apen zijn uitvinders. Een Aap kan alles bereiken wat-ie wil.

De Haan is nauwkeurig en praat graag. Hanen zijn mooi om te zien. Een Haan is goed voor een plek in de schijnwerpers.

狗　猪

De Hond is trouw en recht door zee. Honden spelen eerlijk. Een Hond kan vriend en vijand herkennen. Het is goed om een Hond in huis te hebben.

Het Varken is eerlijk, moedig en geduldig. Varkens zijn de aardigste mensen van de wereld. Een Varken doet niet stiekem.

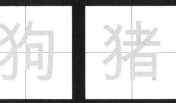

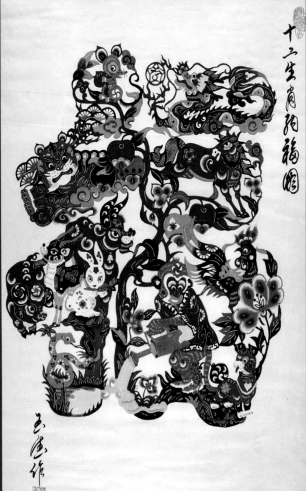

Zoek het dier van je Chinese geboortejaar.

饭店
gekookte   winkel
rijst

= restaurant

云龙
wolk   draak

= draak in de wolken

Restaurant Draak in de Wolken

Goedemorgen allemaal. Als algemeen manager van restaurant Yun Long, spreek ik jullie toe namens alle managers: manager bediening, manager inkoop, manager keuken, manager geld en manager veiligheid. Het verheugt me jullie allen mee te kunnen delen dat we gisteren een record aantal gasten hadden, die met zijn allen goed waren voor het bestellen van 888 gerechten, een gelukbrengend aantal. Ik wil graag met jullie de dag van gisteren nabespreken.

De meest verkochte gerechten waren: drie-parelsoep, zoet-zure kip met wolkenoren, lang-leven-noedels, sperziebonen met pinda's, dumplings, thee-eieren, zoete acht-schattenrijst, rijstballetjes met zoete sesampasta-vulling, pekingeend en kikkerbillen.

Chinese paddenstoelen

Eieren die hardgekookt zijn in thee en daardoor van kleur en smaak veranderen.

Een extra compliment voor de kunstzinnige dumplings. Het team van dumpling-makers verdient een extraatje. Zij zijn deze week het goede voorbeeld.

Vandaag verwachten we een zaken-lunch met buitenlandse gasten. Daarvoor vraag ik ieders speciale aandacht, vooral de bediening. Zoals jullie weten, zijn buitenlandse gasten vaak niet gewend om met stokjes te eten. Ze willen het meestal wel proberen. Als je ziet dat ze moeite hebben het eten uit de schaaltjes op hun bord te leggen, kun je ze beleefd helpen door zelf hapjes op hun bord te leggen. Help ze vooral met de ronde gladde gerechten als **drakenogen**, paddenstoelen en dumplings. Vruchten

Soms vragen ze je om voor te doen, hoe ze de stokjes vast moeten houden. Doe het voor en geef de gast altijd een compliment voor het proberen. Leg onopvallend een vork naast hun bord. En verder graag aandacht voor de algemene regels. Bedien de gastheer op zijn wenken. Zorg dat er geen lege schaaltjes op tafel staan en dat er nooit vier schaaltjes staan.
Als de gastheer moeite heeft een gebalanceerde maaltijd samen te stellen, geef je hem raad. Zorg dat er een goede balans is en dat er voldoende verschillende smaken, kleuren en geuren op tafel komen: knapperig, glibberig, zout, zoet, zuur, scherp, bitter, fris en geurig. Evenveel yin als yang. Denk verder aan de glimlach die we gisteren geoefend hebben. Doe me na. Zeg tsjie…
Als jullie verder geen opmerkingen hebben, kunnen we de dag beginnen.

keuken   meester
= chef-kok

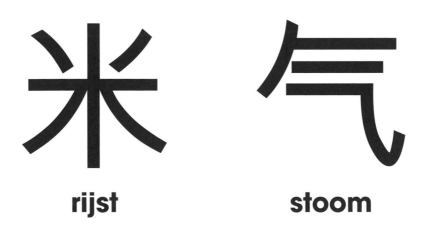

rijst   **stoom**

99
Draken-
schubben
van
de
chef-kok

Een dumpling is bescheiden. Aan de buitenkant kun je niet zien wat er in zit. Een dumpling is een verrassing.
Je leert een dumpling pas kennen als je 'm eet. Een dumpling is als een goede Chinees: bescheiden van buiten en rijk van binnen. Als een parel in zijn schelp. Wie nog nooit eerder dumplings heeft gemaakt, raad ik aan om met drakenschubben te beginnen.
Dit is een recept voor 99 drakenschubben.

Nodig

2 mengkommen
een paar kommetjes
grote snijplanken
grote platte borden
eetstokjes
messen
theelepels
vershoudfolie
deegroller (stuk
   bezemsteel van 20 cm)
stoommandjes (in een
   mand van 25 cm door-
   snede passen 15 drakenschubben; er passen vier
   mandjes op elkaar)
pannen waar de stoom-
   mandjes op passen
een Chinese kool

Het deeg
500 gram bloem
1 dl kokend water
1,5 dl koud water

De vulling
18 champignons
2 preien (het witte
gedeelte)
5 wortels
5 middelgrote uien
een klein stukje verse
   gember
3 teentjes knoflook
½ theelepel zout
2 theelepels suiker
1 eetlepel zoete sojasaus
1 eetlepel sesamolie

De dipsaus
6 eetlepels water
3 eetlepels zoete sojasaus
1 eetlepel natuurazijn
1 bosuitje

Bereiding

Het deeg
Doe de bloem in een kom.
Schenk het kokende water
daarbij. Roer alles door
elkaar met de eetstokjes.
Schenk het koude water
erbij. Roer het goed door.
Kneed het brokkelige deeg
tot een gladde soepele bal.
Als het deeg te droog is,
schenk je er een heel klein
beetje water bij. Goed
kneden. De deegbal in
vershoudfolie verpakken
tot je er verder mee gaat.
Dit is tegen het uitdrogen.

De vulling
Snijd de champignons,
preien, wortels, uien,
knoflook en gember in zo
klein mogelijke stukjes.
Meng alles door elkaar
met het zout, de suiker, de
sojasaus en de sesamolie.

De deeglapjes rollen

Verdeel de deegbol in 8 gelijke stukken.
Pak één stuk deeg per keer en verpak
de rest weer in het folie.
Rol een slang van 2 centimeter dik van
het deeg. Verdeel de slang in stukjes
van 2 centimeter. Maak bolletjes van de
stukjes deeg en druk ze een beetje plat.
Strooi wat bloem op een snijplank
of plat bord. Wrijf de bezemstok in
met bloem.

Rol het deegbolletje uit
met de stok tot een heel
dun plat rondje van zo'n
8 centimeter doorsnede. Het
rondje wordt mooi door het
deeglapje in de rondte te
draaien (met je ene hand)
tijdens het rollen (met de
stok in je andere hand).
Zo maak je van al het deeg
99 flinterdunne ronde
deeglapjes.
De deeglapjes leg je op een
schaal bestrooid met bloem.

De deeglapjes vullen

Je pakt een deeglapje en houd dat in
de palm van je hand. Je pakt 1 theelepel
vulling en legt die in het midden van het
deeglapje. Je klapt het rondje dubbel tot
een drakenschub. Druk het randje in het
midden goed op elkaar. Druk daarna de
hele rand goed dicht. Blijft de rand niet
dicht zitten? Maak het randje vochtig
met een in water gedoopte vinger.

Leg de drakenschubben op een
bord bestrooid met bloem tot ze alle
99 klaar zijn.

De dipsaus
Meng het water, de
sojasaus, de azijn en
de in dunne ringetjes
gesneden bosui.

De drakenschubben stomen
Leg één laag Chinese
koolbladeren in de stoom-
mand. Daarop verdeel je
de drakenschubben zo dat
ze elkaar net niet raken.

Vul de pannen voor een
kwart met water en breng
het aan de kook. Zet daarna het vuur laag.

Een volwassen chef-kok
zet de stoommanden op
de pannen. Zet het vuur zo
hoog, dat het water stoomt.
De drakenschubben
12 minuten laten stomen.
Pas op! Niet de deksel
optillen. Stoom is ruim
120 graden heet.
Drakenschubben serveer
je in de stoommanden.
Geef het dipsausje erbij.

De presentatie
Leg de drakenschubben
mooi op een schaal.
Meteen opdienen met
het dipsausje.

友 vriend

勇 durf

跑酷 rennen cool
= parkour

自由 zelf volgen
= vrijheid

De parkour- renners Chao, Wang en Lei

Drie parkour-renners uit Beijing stellen zich voor.

Parkour is in Frankrijk ontstaan en wordt beoefend over de hele wereld. In China heet parkour paoku (paokoe). Paoku betekent cool rennen.

Nihao, ik ben Chao.

Als eerste wil ik zeggen: wat wij doen, is niet geschikt voor kinderen. Doe ons niet na, ook al ben je net zo stout als ik was op jouw leeftijd. Al vanaf mijn zesde klim ik in bomen en vanaf mijn zevende spring ik van daken. Ik zag kungfu-films met mijn held Jackie Chan. Jackie Chan was een arme jongen. Hij is nu een wereldster. Ik zei tegen mijn vader: als ik groot ben, wil ik zijn als Jackie Chan. Ik wil net als hij tegen muren omhoog lopen, door de lucht vliegen en salto's maken over auto's.

Wij noemen Jackie Chan bij zijn artiesten naam: **Cheng Long**. Ik wil ook een Draak worden.

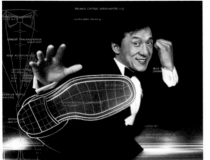

Cheng Long betekent 'een Draak worden'.

Mijn ouders zijn arme boeren. 'Als je gcen geld hebt, moet je heel goed zijn', zegt mijn vader. Hij ziet mijn talent en moedigt me altijd aan. Elke dag na school ging ik naar een vechtkunst- school in ons dorp. Buiten het hek gluurde ik naar de training.

Thuis deed ik dan de oefeningen die ik had gezien. Overdag ging ik naar school, maar ik kon niet stilzitten. Ik had vaak hoofdpijn en was overactief.

Op een dag sprak mijn moeder een oude dokter die me had zien oefenen. Hij zei: 'U hoeft zich geen zorgen te maken. Uw zoon is een Drakenzoon. Zoals de Draak met de Parel beweegt, zo moet uw zoon in beweging blijven. Dan stroomt zijn 氣 en dat is goed voor tienduizend dingen.'

Toen hebben mijn ouders me toch naar de vechtkunstschool laten gaan. Ik ben die dokter eeuwig dankbaar. Ik oefende hard en mocht meedoen met wedstrijden.

Anderhalf jaar geleden hield Jackie Chan een wedstrijd om een opvolger te zoeken uit de beste jonge vechtkunstenaars van China. De wedstrijd heette: De Opvolgers van de Draak. Ik deed mee en ik kwam in de finale. Ik herinner me de dag van de finale heel goed. 's Ochtends raakte ik gewond aan mijn been, maar ik wilde niet opgeven. 's Avonds deed ik mee met de finalisten uit heel China. Ik heb alles op alles gezet voor de camera's en de jury.

Ik won niet. Opvolger van de Draak ben ik niet geworden. Jackie Chan zegt: 'Meedoen is belangrijker dan winnen.' Het was de belangrijkste dag van mijn leven. Op die dag ben ik vrienden geworden met parkourrenners. Ik had van hen gehoord en filmpjes op internet gezien. Ik zag dat de Chinese parkourrenners vloeiender springen dan parkourrenners uit de rest van de wereld. Chinese parkourrenners gebruiken kungfu-technieken. We concentreren ons en springen met 氣. Weet wat je kunt. Schat de afstand goed in. Adem in, beweeg en ren.

Ik sloot me bij hen aan. Parkourrenners zijn vrienden van elkaar. Je doet het nooit alleen. We spreken af ergens in de stad. We kijken om ons heen. Elke richel, paal, muur, trap, tunnel, balkon, dakrand en bankje daagt ons uit. Als ik beweeg dan leef ik.

Nihao, ik ben Wang.

Ik ben het kostbaarste bezit van mijn familie. Mijn vader droeg me als kind als een schat in zijn handen.

Toen ik in groep vijf zat, stuurde mijn grootvader me naar een vechtkunst-school.
'Dat is goed voor je 氣', zei mijn grootvader. Ik sprong een gat in de lucht en maakte drie salto's vooruit en drie salto's achteruit. Op school trainde ik alle soorten van vechtsporten. Ik oefende vooral salto's. Toen mijn leraar vroeg wie door wilde gaan in salto's, stak ik als eerste mijn vinger op. Ik heb twee jaar lang elke dag salto's geoefend, allerlei salto's. Daarna kreeg ik een rol bij de opera.

Ik had les van een leraar die gespecialiseerd was in vechtscènes. Als hij vocht, leek hij precies op Jackie Chan. Jackie Chan zat ook bij de opera, voordat hij bij de film kwam.
Ik was zeventien, toen mijn leraar vroeg of ik wilde proberen om in films kungfu-rollen te krijgen. Helaas liet het geluk me in de steek. Tijdens een opera-uitvoering vloog mijn arm uit de kom. Ik kon mijn arm niet optillen en het deed vreselijk pijn. Ik moest doorspelen... en drie maanden later gebeurde het weer. Ook tijdens een uitvoering. Toen kon mijn leraar me niet meer gebruiken voor zijn filmplannen.
Nu doe ik verschillende dingen. Ik heb de apenkoning gespeeld in een opera voor kinderen, omdat ik goed kan springen en goed een aap na kan doen. Ik maak iedereen aan het lachen.

Ik heb ook in een film van Jackie Chan gespeeld. Ik was een van de vele soldaten. We moesten urenlang bewegingsloos dood liggen. Sommige acteurs vielen in slaap. Ik verroerde geen vin. Ik bleef opletten. Jackie Chan gaf me een knip-oog. Hij is cool en grappig. Ik heb zijn handtekening gekregen.

Ik hoop met mijn parkour nog veel meer vrienden te maken. Parkour past bij het moderne China. Er is veel belangstelling voor. Het gaat over vriendschap en vrijheid. Als ik spring, voel ik me vrij. Voor parkour moet je hard oefenen, nieuwe sprongen uitproberen en nooit stilstaan. Jackie Chan zegt: 'Doe wat je kan. De volhouder wint.'

Nihao, ik ben Lei

Ik was een van de kleinste jongens van mijn leeftijd. Daarom moest ik extra mijn best doen bij het sporten. Ik trainde altijd harder dan de andere jongens.

Mijn droom is om les te geven in parkour. Ik wil jongens en meisjes in China laten voelen wat dat is: vrijheid, vriendschap en durf.
Mijn vader gelooft in mij. Hij vindt dat ik talent heb. Hij helpt me om van parkour mijn werk te maken. Hij heeft van een loods bij de varkensstallen een parkour-trainingscentrum gemaakt. De graffiti heb ik gemaakt.

Ik geef zo min mogelijk geld uit aan kleren en uitgaan. Ik moet wel elk half jaar nieuwe schoenen kopen. Ik koop gewone sportschoenen, parkour-schoenen zijn te duur.

In het weekend komen we samen in de stad. We zoeken naar goede parkourplekken. Plekken waar je van het een naar het ander kunt springen zonder te stoppen. De hele stad door.

Ik ben een Rat. Ik ben een krijger.
Ik ben sterk in mijn eentje en een schakel in het geheel.
Mijn doel is hoogtes te bedwingen.
Ik bereik mijn doel.
Iedere zoektocht is het begin van een nieuwe reis.
Ik ben de vooruitgang, de verkenner en het inzicht.
Ik ben de ontdekker van nieuwe terreinen.
Ik ben het begin van alle actie.
Ik ben de Rat.

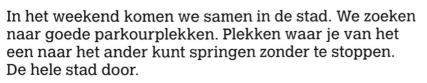

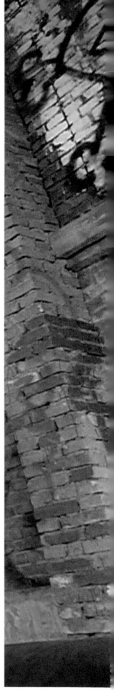

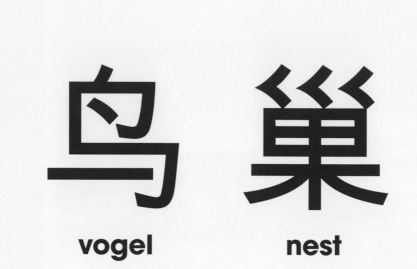

vogel   nest

Movers en shakers van tomorrow

Chao, Wang en Lei rennen en springen de stad door, van zuid naar noord.

De jongens springen van hoge daken, over keien en paaltjes. Ze rennen omhoog tegen bomen en muren. Ze rennen dwars door een winkelcentrum. Ze gaan in handstand met de roltrap omhoog en rennen over de loopbruggen van de stad. Mensen kijken verrast op als de jongens voorbijvliegen.

Een ringtoon klinkt van hoog. Lei springt alsof hij wordt opgetild en pakt een mobieltje van de richel. Er staat een berichtje van Jackie Chan op. Lei leest het.

Hi movers & shakers
[_(^o^)_] van 2morrow
Volg het Draken ----
Beweeg *** en ##
Houd 中国 w@kker <(^-^)>
Laat ~~~ die 气 >>>
naar 鸟巢
Daar treed ik op
---<-<-<@
Ik wacht op je!
Jackie Chan

新（📄 2/12）
708 📧 Ⓡ ABab

嗨.未来的[_(^O^)_]创
造者们.跟着龙————
.挥动***和###.唤醒中
国<(^_^)>.让那气~~~
>>>向鸟巢.那儿我将
会用———<-<-<@表演.
等着你们.Jackie Chan|

选项   ABC

Het berichtje staat vol karakters en sms-
tekens. De karakters ken je uit dit boek.
De sms-taal kun je raden of hier de
betekenis lezen.
[_(^o^)_] betekent sterk. Het is een
blij gezichtje (^o^) tussen twee sterke
(_armen_) die optillen.
---- spoor
*** hemel
aarde
<(^-^)> is een eigenwijs figuurtje met de
handen in de zij
~~~ stromen
>>> ren
---<-<-<@ is een roos en betekent hier liefs.

Lei springt omhoog en legt het mobieltje terug op de richel. Vol energie springen de jongens door de stad. Richting Vogelnest. Alsof de adem van de Draak ze vooruitblaast, rennen ze door de stad. Bij de Poort van de Hemelse Vrede nemen ze de metro. Ze stappen uit bij halte Vogelnest.

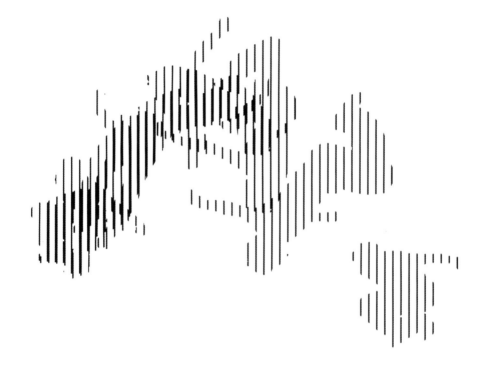

Daar ligt het nest in een vochtige mist. Toeristen fotograferen elkaar met het Vogelnest op de achtergrond.

Het nest is uitverkocht. Het optreden van Jackie Chan heeft tachtigduizend mensen op de been gebracht. In lange rijen schuiven ze langs de kaartjescontrole naar binnen. De jongens blijven achter op het plein. Ze hebben geen kaartje.

Ze doen haasje-over en spelen dat ze het Vogelnest in vliegen. Een bewaker lacht om hun kunsten. Ze springen door, de schemering valt. Het concert is begonnen. Het Vogelnest verandert van kleur: van paars naar blauw naar groen naar geel naar oranje naar rood naar goud. Het gaat waaien. Flarden muziek uit het Vogelnest komen aangewaaid. Hun sprongen worden hoger. Daar gaan ze één, twee, drie. Het lijkt alsof een onzichtbare hand hen optilt. Nog nooit hebben ze zo hoog en soepel gesprongen.

Jackie Chan's stem stijgt op uit het Vogelnest. Helder klinkt zijn lied: 'We moeten vlug zijn als stromend water. We moeten sterk zijn als een orkaan. Onberekenbaar als de bliksem. Zuiver en onbereikbaar als de maan...' Dit lied wordt meegebruld door tachtigduizend stemmen. Het publiek joelt en bonkt, schreeuwt en blèrt. Het Vogelnest trilt. Na dit nummer spreekt Jackie zijn fans toe. Het wordt stil.

'Vrienden, movers en shakers van de toekomst. Het is een eer dat ik op deze plek voor jullie mag optreden. Ik sta hier in de schijnwerpers, maar het is tijd om de lichten naar de straat te draaien. Naar onze vrienden buiten. Onze vrienden in de stad, onze vrienden in het grote China en onze vrienden over de hele wereld. Laat de 氣 stromen tussen hemel en aarde. Ik tel tot drie: ie, ar, san.'

Lichten stromen door het
staal van het nest, alsof
het staal vloeibaar wordt,
als kwikzilveren rivieren.
Een bliksemflits verlicht
de hemel.
Kort daarop schiet een
vlammende parel door
de lucht. Een lenige
schaduw volgt.
Alles stroomt, als bloed
door aderen, als water
door rivieren, als inkt
op papier.

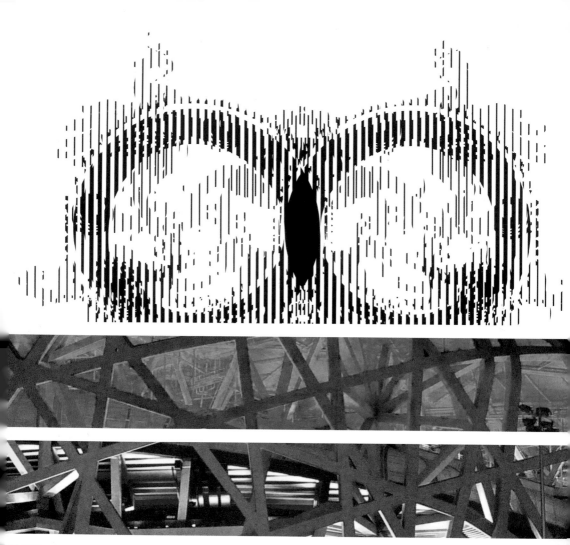

Dan verschijnt de Draak
aan de hemel, als een
vloeiende penseelstreep,
als een schaduw over de
aarde. De Draak beweegt
vlak over het Vogelnest
en verdwijnt dan in een
donkere wolk.
Het gaat regenen.

Tachtigduizend mensen
stromen naar buiten en
steken hun paraplu op.
De lichten doven en het
Vogelnest ligt er machtig
bij als Drakennest.

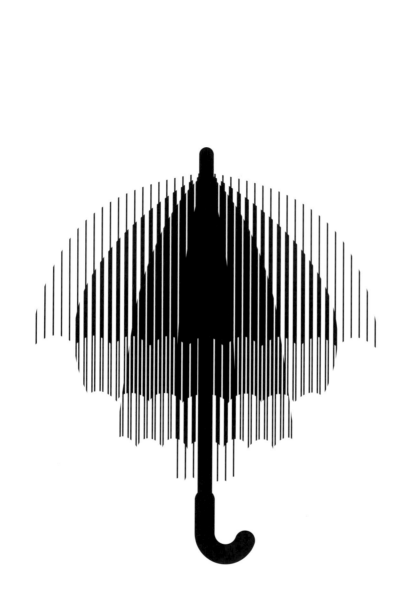

De Parel en de Draak
Verschijnt naar aanleiding van de
tentoonstelling de Qi van China
in Tropenmuseum Junior
(9 oktober 2009 – voorjaar 2012)

Tropenmuseum Junior
Linnaeusstraat 2
1090 HA Amsterdam
020-5688 233
www.tropenmuseumjunior.nl
www.qigame.nl

De Parel en de Draak
KITPublishers
www.kit.nl/publishers

ISBN 978 90 6832 789 2
NUR 232

©2009
Koninklijk Instituut voor de Tropen
Amsterdam

Tekst
Liesbet Ruben, Babette van Ogtrop

Redactie
Paul van den Boorn, Arjan Berben

Ontwerp
Thonik, Amsterdam

Eindredactie
Liesbet Ruben

Karakter redactie
Xi Zeng

Kalligrafie
Hao Shuang

Inhoudelijke adviezen
Meng Chan, Remy Cristini,
Stefan Landsberger, Benoît Mater,
Garrie van Pinxteren, Ching Min Yu

Assistentie in China
Ruth Liang, Tian Jing, Ji Shu Li

Drukwerk
TNP-FarEast Productions

Lithografie
High Trade bv, Zwolle

Foto's
Liesbet Ruben

Met uitzondering van:
iStockphoto:
best-photo baby en AVTG rivier (p.19)
Sandsun beek (p.23)
Zhudifeng zakenman (p.106)

Annemiek Spronk:
wind en water (p.21)
boeren in stad (p.27,95)
kok (p.159)

Mohammad Babazadeh:
man met rode helm (p.27)
kungfu (p.134/135)
jongen (p.141)

Shaanxi Cultural Heritage
Promotion Center:
heuvel (p.43,44,45,46)
beelden (p.47)

Bingbo Li:
netwerken (p.25)
jeugdfoto's (p.60,61,67)
grootmoeder (p.63,68)

Daniël Ament:
uitzicht (p.94/95)

Frank Lucas:
kind op hand (p.168)

IISH Stefan R. Landsberger Collection,
www.chineseposters.net:
posters (p.65,67)

Bronnen
De persoonlijke hedendaagse verhalen
berusten op ontmoetingen van de auteurs
in China. De boekpersonages in de
verhalen Nieuwe soldaten van klei,
De paraplufabriek, Spiderman, Draak
te koop, Zakendoen, Onze basisschool
Nummer 1 zijn samengesteld uit
verschillende ontmoetingen. De namen
in deze verhalen zijn verzonnen en
de personen op de foto's zijn niet de
verhaalpersonages. De verhalen over
boer Yang, Bingbo Li en de parkourrenners Chao, Wang en Lei zijn op hun
lijf geschreven. Zij zijn ook de personen
op de foto's.

Tentoonstelling, game en boek zijn mede
mogelijk gemaakt door bijdragen van
Adessium Foundation, Amsterdams Fonds
voor de Kunst, Gemeente Amsterdam,
Ministerie van Buitenlandse Zaken &
Ontwikkelingssamenwerking, Mondriaan
Stichting, NCDO (Nationale Commissie voor
Internationale Samenwerking en Duurzame
Ontwikkeling), Prins Bernhard Cultuurfonds,
VSBfonds. Mediapartner: Hyves.

**Colofon tentoonstelling de Qi van China
& QiGame**
www.tropenmuseumjunior.nl